# 拓ちゃん博士の よく飛ぶ おり紙 ヒコーキ 教室

折り紙ヒコーキ協会会長
滞空飛行時間・世界記録保持者 **戸田拓夫**

## 機種紹介

距離型

## やりヒコーキ

難易度：★ **P12**

先端の折り位置がわかりやすく、最適な重心位置になるように改良しています。機体が細長く扱いやすいので、初心者が距離競技を始めるなら、まずはこの機から。

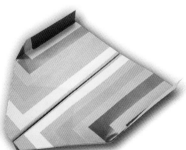

滞空型

## スカイキング

難易度：★★ **P16**

滞空競技の世界記録を生み出した元祖のヒコーキです。上空へ投げ上げれば、もっとも安定した性能を発揮します。まさに「空の王者」。

距離型

## いかヒコーキ S

難易度：★　　　　　　　　　 P20

伝統的ないかヒコーキを改良し、先端部のひれを小さくして飛行性能をアップさせました。いかが水中を素早く泳ぐように、風を切るように空中を飛びます。

距離型

## レッドスカイ

難易度：★　　　　　　　　　 P22

強い投げに耐えられるよう翼を折りこみ強度を持たせています。先端部のコックピットが左右のブレを防ぎ、安定して遠くまで飛んでくれます。

滞空型

## コンセプト SR

難易度：★★　　　　　　　　 P24

もっとも原始的なヒコーキです。しかしもっとも理想的な構造をしています。先端にいくほど折り重ねが多く、強度と推進力が得やすいようになっています。

滞空型

## ハヤテ

難易度：★★★　　　　　　　 P26

スカイキングの進化形。翼の面積が大きく、抜群の安定感。昇降舵をひねらなくてもよく飛ぶので調整もかんたんです。

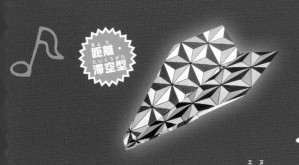

距離・滞空型

## へそヒコーキ N

難易度：★　　　　　　　　　 P30

紙ヒコーキといえばこの形を想像するのではないでしょうか。かんたんでよく飛ぶ、幼児から大人までおすすめの距離・滞空両用機です。

距離・滞空型

## ロングプレーン

難易度：★★　　　　　　　　 P32

一見シンプルなようで意外とむずかしいヒコーキです。翼のよじれが少なければ、まっすぐきれいに飛んでくれます。

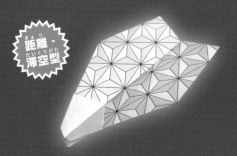

距離滞空型

## デュアルキング

難易度：★★　　　　P34

滞空性能を高めるため先端部をロックし安定性を持たせました。さらに強い投げにも耐えられるよう翼の上下の重なりで強度をつけました。

幅広型

## ハンググライダーII型

難易度：★★★　　　　P36

きちんと折れた機体は本物のようにみごとな滑空を見せてくれます。全長が短く横幅の広い、見た目もかっこいいひと味ちがった紙ヒコーキです。

幅広型

## ステルス

難易度：★★★　　　　P40

レーダーに映らない戦闘機のようにスーッと飛んでいく一機です。翼のよじれ、たるみに気をつけながら折りましょう。

立体型

## クラウドスルー

難易度：★★★　　　　P44

安定感のある立体形状と飛行性能が魅力。少し飛び出た角がほかの紙ヒコーキにはないかっこよさを見せてくれます。ゆったりとした飛び方をします。

立体型

## ベガ

難易度：★★★　　　　P48

ベガとはおりひめ星のこと。天空でもっとも明るい星のごとく、流れ星のように宙を切って飛びます。形もユニークで存在感があります。

むずかしい機もあるけど、まずは挑戦してみよう！

# うす紙で作る紙ヒコーキ

ひと味ちがう飛び方を楽しめる紙ヒコーキ。うすい紙（グラシン紙）を折って、風のないところでそっと飛ばします。グラシン紙以外のうすめの紙でも作れるよ。

※ グラシン紙は大型文具店やネット通販、100円ショップなどで手に入ります。

A5サイズ（A4の半分）
148×210mmの
グラシン紙を使用

## デルタウイング

難易度：★★　　　　　P52

機体の前後を閉じ、翼の内側を折りこみ安定性と強度を持たせて、うすい紙でも長く飛び続けられるようにしました。室内で飛ばしてみてください。

### グラシン紙とは…

うすくてシャリシャリパリパリとした手触りの半透明紙。なめらかで耐油性・耐水性があります。ラッピングやクッキングシート、薬包紙など様々な用途で使われます。

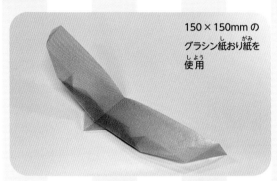

150×150mmの
グラシン紙おり紙を
使用

## ホワイトイーグル

難易度：★　　　　　P56

折り方はこの本の中で一番かんたんですが、大きな翼を広げて優雅に飛んでくれます。翼の角度の調整をていねいに。ゆっくりふわふわ飛ぶ姿で楽しませてくれます。

# 自由研究のススメ　58

## おり紙ヒコーキ博士拓ちゃんの紙ヒコーキで自由研究

### デザイン型紙 （デルタウイング・ホワイトイーグルをのぞく）

カラーページと同じデザイン型紙がダウンロードできます。
A4サイズでプリントし、わく線で切ってお使いください。

# はじめに

誰もが一度は飛ばしたことがある紙ヒコーキ。でも、うまく飛ばせる自信がある人は少ないかと思います。どうしたらよく飛ぶようになるでしょうか。

エンジンなどの動力がない紙ヒコーキは、正しくは飛行機ではなく「滑空機」と言えます。いかにうまく翼が空気をとらえて滑空するかが大事です。翼の幅と機体の長さ、最適な重心位置を見つけだすことで、まっすぐ遠くまで飛ぶ紙ヒコーキができます。より遠く・長く飛ばせるように、ゆがみのないきれいな機体をつくり、微妙な翼の調整を練習によって身につけましょう。

また、力任せに投げるのではなく、紙ヒコーキに適したスピードで投げることで飛ぶ距離や時間に大きなちがいがでます。

せっかく作った紙ヒコーキが飛ばないとガッカリしますよね。この本では、おり紙ヒコーキ博士拓ちゃんが先生役となり、ポイントやコツ、気をつけたいこと、試してみてほしいことなど、紙ヒコーキの極意をわかりやすくマンガで解説しています。

自分が折った紙ヒコーキが空気に乗ってまっすぐ飛ぶとうれしくなります。その楽しさをぜひ味わってください。

おり紙ヒコーキ博士拓ちゃんこと　戸田拓夫

(折り紙ヒコーキ協会会長　滞空飛行時間・世界記録保持者)

## おり紙ヒコーキ博士拓ちゃん　誕生のひみつ

　おり紙ヒコーキとは、1枚の紙を切ったり貼ったりせず、ただ折るだけで作るヒコーキのことです。おり紙ヒコーキ博士拓ちゃんはこの分野で、29.2秒という室内滞空時間のギネス世界記録を持っていて、これまでに1000種類以上のオリジナル作品を生み出しました。そして、日本各地や世界中でおり紙ヒコーキの楽しさを子どもたちに伝えています。

　拓ちゃんの運命が変わったのは、大学生のときでした。大学で登山サークルに入ったものの、原因不明の病気にかかり、寝たきりの生活を送ることになりました。ある日、体調のよいときに立ち寄った書店で『飛行おりがみ傑作選』という本に出会い、「昔よく飛ばしたな〜」と紙ヒコーキへの懐かしさから拓ちゃんはその本を買って帰りました。さっそく拓ちゃんは、本に書かれていたとおりに折ってみました。しかし「全然飛ばないではないか」。いても立ってもいられない拓ちゃんは思いきって著者本人の家に、「飛びません」と言いに行ったのです。この本の著者こそ、後に拓ちゃんの師匠となる中村榮志先生です。中村先生から「翼の調整が必要」と教わった拓ちゃんは、やる気を出してなんと200種類もの紙ヒコーキを作ってまた中村先生のところへ見せに行ったのです。中村先生は拓ちゃんのやる気に圧倒されました。この出来事をきっかけに師匠から多くを学び、紙ヒコーキに夢中になっていったのです。

　大学を中退後、実家の会社で働きながら紙ヒコーキの研究を続け、30歳を過ぎたころ、航空機会社の部品を作る仕事を受けることになりました。そのとき、自分のこれまでのおり紙ヒコーキの作品を見せるとたちまち驚かれ、地元の新聞に紹介されたのです。そんなこんなで、おり紙ヒコーキの楽しさを広める活動が広がり、テレビや新聞の取材も増えていったのでした。

## ● 拓ちゃんの終わらない夢

「おり紙ヒコーキの魅力は、そのシンプルさと奥深さにある。1枚の紙だけを使い、ちょっとした調整で飛び方が変わるところが、人間の成長と似ている」と拓ちゃんは言います。また、誰でも同じ条件で挑戦できるため、個人の力と技術が試されるのです。おり紙ヒコーキを通じて、子どもたちに夢中になれるものを見つけ、続けることの大切さを伝えたいという思いが拓ちゃんにはあるのです。

拓ちゃんの夢の一つに、立体型紙ヒコーキ「スペースシャトル」を本物の宇宙船から飛ばすという目標があります。JAXAと共同で成層圏突破の実験も成功し、実現に向けて進んでいます。もう一つの夢は、次の世代を育てることです。子どもたちが将来に希望を持ち、自分が一生懸命になれるものを見つける手助けをしたいと考えています。

極超音速高エンタルピー風洞で紙ヒコーキがマッハ7に耐えるかの実験観測モニター

最後に、拓ちゃんはおり紙ヒコーキの世界大会を開くという大きな夢を持っています。日本中の子どもたちが世界チャンピオンを目指して楽しそうに飛ばし方を競いあう環境を作りたいと考えています。

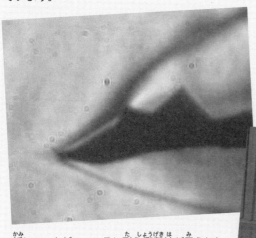

拓ちゃんの情熱と活動は、おり紙ヒコーキを超えて多くの人々に影響を与え続けています。

世界一大きなおり紙ヒコーキに挑戦
（全長2m5cm、飛行距離40.7m）

紙ヒコーキがマッハ7に耐え衝撃波が見られた

9

それじゃあ、まずは遠くに飛ぶ紙ヒコーキの作り方から教えましょう

つばさくんのリクエストから

はーーいよろしくおねがいします!!

やった〜

わーい♥

---

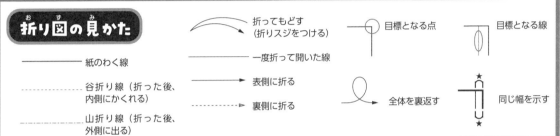

## 折り図の見かた

———————— 紙のわく線

- - - - - - - - 谷折り線（折った後、内側にかくれる）

-·-·-·-·-·- 山折り線（折った後、外側に出る）

⌒→ 折ってもどす（折りスジをつける）

————— 一度折って開いた線

———▶ 表側に折る

- - - -▷ 裏側に折る

○ 目標となる点

◇ 目標となる線

○ 全体を裏返す

★∩★ 同じ幅を示す

---

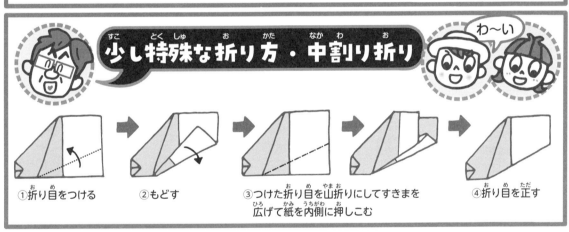

わ〜い

## 少し特殊な折り方・中割り折り

①折り目をつける　②もどす　③つけた折り目を山折りにしてすきまを広げて紙を内側に押しこむ　④折り目を正す

---

## 定規を使おう！

はなれた2つの点を結んで折るときや、紙の厚みで折りにくいときなど、定規で押さえると折りやすくなります。また、翼のよじれを直すときにも役立ちます。

---

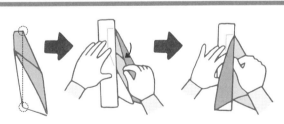

おまけだよ

## あるとベンリな道具

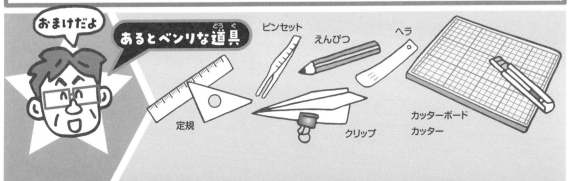

ピンセット　えんぴつ　ヘラ

定規　クリップ　カッターボード　カッター

では
遠くに飛ぶヒコーキ
から

# よく飛ぶ紙ヒコーキの作り方

おり紙ヒコーキ博士
拓ちゃんの

---

### 遠くに飛ぶヒコーキ：距離型
## やりヒコーキ編

まずは折る前に

紙のサイズ：長方形
難易度：★

SPEAR-SHAPED PLANE

**POINT ①** 机やテーブルなど平らな所で折ろう！

**POINT ②** 紙はベタベタとさわらないようにして、折るときは指先で折るようにしよう！

---

はい!!

博士、どうしてベタベタと紙をさわったらダメなの？

手の汗や汚れなどが紙につくと, 紙がヨレヨレになって飛びが悪くなってしまうんだよ！

なるほど！

くにゃ〜

# 作り方

折り図は、グレーが紙の表、白が紙の裏を表しています。

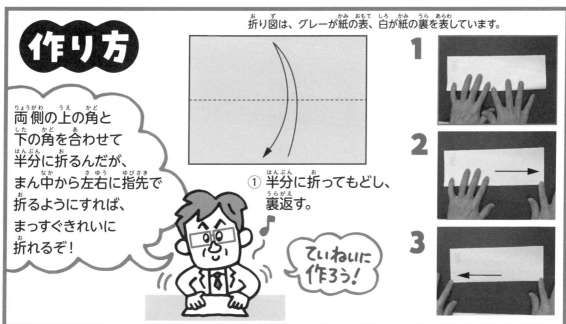

両側の上の角と下の角を合わせて半分に折るんだが、まん中から左右に指先で折るようにすれば、まっすぐきれいに折れるぞ!

① 半分に折ってもどし、裏返す。

ていねいに作ろう!

1

2

3

---

② 4mm くらいすきまをあけて折る。

③ ②の半分（2mm）くらいのすきまをあけて折る。

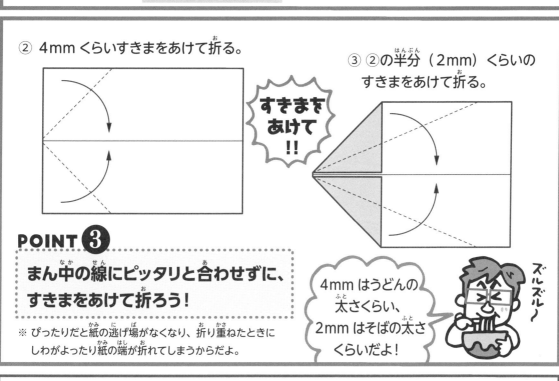

すきまをあけて!!

## POINT ③

まん中の線にピッタリと合わせずに、すきまをあけて折ろう!

※ ぴったりだと紙の逃げ場がなくなり、折り重ねたときにしわがよったり紙の端が折れてしまうからだよ。

4mm はうどんの太さくらい、2mm はそばの太さくらいだよ!

ズルズル～

---

④ ○を合わせて、中央に少し折り目をつけてもどす。

⑤ ○を合わせて折る。

⑥ 裏側へ半分に折る。

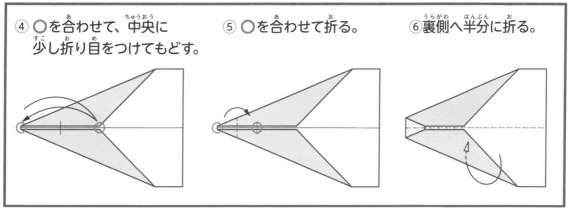

⑦ ◯を合わせて翼を折る。
反対側の翼も同じように折る。

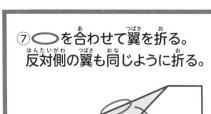

POINT ❹

翼は、両側の折り位置をキッチリ合わせて折ろう!

紙ヒコーキを前から、もしくは後ろから見てチェック

⑧ 三面図のように開く。

しっかり見てね

**三面図**

●正面　　　　●上面　　　　●側面

POINT **5-1**

まっすぐ遠くに飛ぶように形を整えよう!
▶機体のよじれを直す。
▶翼の角度は、紙ヒコーキを持って前から、
　もしくは後ろから見て少し上向きにする。

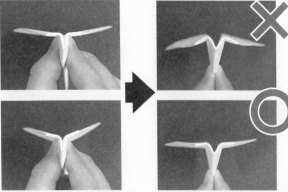

紙ヒコーキが手から離れたとき翼が水平になるように

翼の角度がわかりにくいときは、
紙ヒコーキをひっくり返して、机の上
などの平らな所に置いてみるといいぞ!

翼が平らな所に
ピッタリとついて
いればOKだよ!

ピタッ

翼がよじれていたり
ふくらみがあったら、机の
端にのせ、定規でこすって直そう。

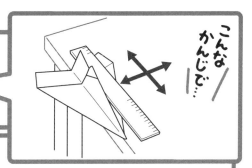
こんなかんじで…

## POINT 5-2

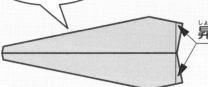
ここ大事！ ▶昇降舵をつけて調整をする。

昇降舵部分

翼の後ろを 5mm ほど、爪を立てるようにしてわずかに上にひねって起こす。
これが「昇降舵」だ。昇降舵があるとヒコーキの飛びがぐんとよくなる。

**1**
まっすぐスーッと
飛んでいけば OK。
ス〜ッ

**2**
一度くいっと上昇して落ちる
場合は、昇降舵のひねりが
強すぎるため少し下げる。
ストンッ

**3**
下にストンと落ちてしまう場合は、
昇降舵のひねりが
弱すぎるため少し上げる。

**4**
左右に曲がる場合は、片方の昇降舵だけ
を起こして調整する。
（右を上にひねると右へ曲がる）

① ② ③

紙ヒコーキを持つ位置は、
重心もしくは少し前側を
持つといいぞ！

5度くらい下向きに、
まっすぐ押し
出すような感じで
そっと投げてみよう！

おぉ
わ〜い

つづけて長く飛ぶ
ヒコーキに行くよ

つぎは
長く飛ぶヒコーキ
だよ

# よく飛ぶ紙ヒコーキの作り方その2

おり紙ヒコーキ博士
拓ちゃんの

## 長く飛ぶヒコーキ：滞空型

## スカイキング編

やりヒコーキ編で
おぼえたPOINTも
思い出して作ってね

紙のサイズ：長方形
難易度：★★

SKY KING

# 作り方

① 半分に折ってもどす。

裏返す

② 2mmくらいすきまを
あけて折る。

③ ★の○を合わせて折ってもどし、
☆の○を合わせて折る。

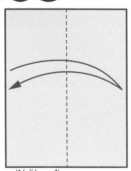

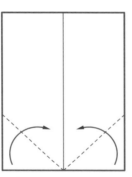

しっかり
折って…

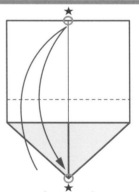

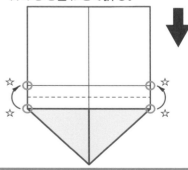

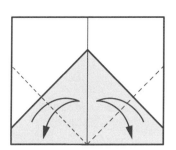

先端が中心線から
ズレないように、
写真のようにおさえて折るよ

④ 1mm くらいすきまをあけて
折ってもどす。

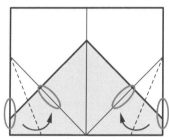

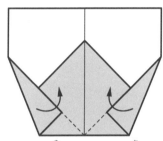

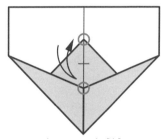

⑤ ◯を合わせて折る。

⑥さらに巻きこむように折る。

⑦◯を合わせて、中央に
少し折り目をつけてもどす。

ここも
1mm くらいすきま

大切だよ

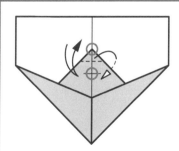

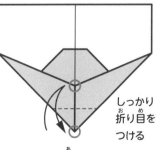

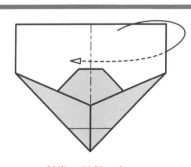

⑧◯を合わせて
折ってもどし、裏側へ折る。

⑨◯を合わせて
折ってもどす。

しっかり
折り目を
つける

⑩裏側へ半分に折る。

次につづくよ

17

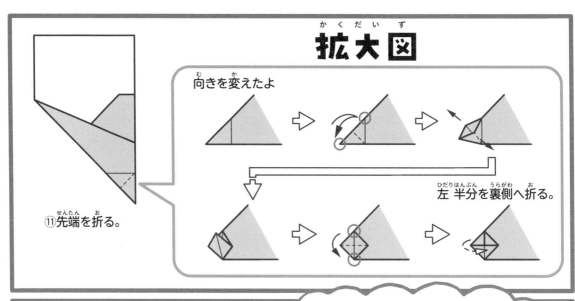

# 拡大図

向きを変えたよ

左半分を裏側へ折る。

⑪先端を折る。

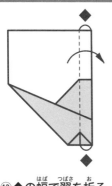

いったん翼を開き、裏返した状態で平らな場所に置く。胴体が開かないようにつまんで、内側から外へしごくように（アイロンがけのように）強く折る

⑫◆の幅で翼を折る。反対側の翼も同じように折る。

翼の裏側にダブつきがないようにしよう

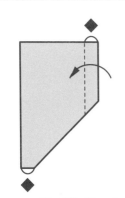

ダブつきがなくなった！

# 三面図

昇降舵部分を少し上にひねりあげる

上面　側面

正面

やりヒコーキと同じように飛ばしてみよう

⑬◆の幅で翼の端を折る。反対側も同じように折る。

⑭三面図のように開く。

## 〜完成後、三面図のように翼を開いてみよう〜

機体を正面または後ろから見て、翼の後ろがたれ下がっていたら…
翼の両側が少し反り上がるようにわん曲させて調整しよう

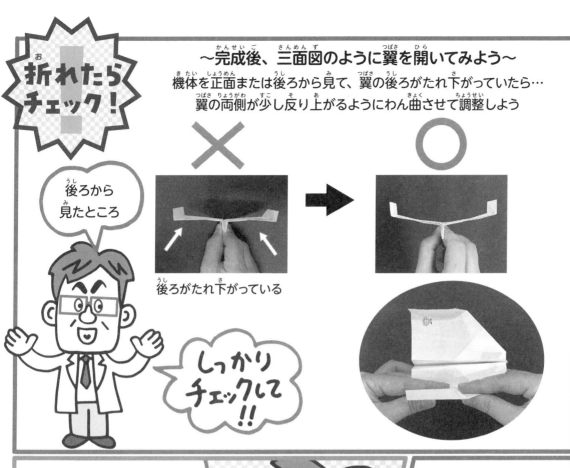

後ろから
見たところ

後ろがたれ下がっている

しっかり
チェックして
！！

翼の面積が広い滞空型は、
機体がよじれやすく
ふくらみやすいんだ
正しく調整してあげることが
大事だよ

距離型、滞空型でおしえた
ポイントをおぼえておこう

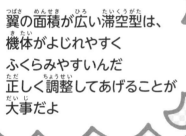

はーい！

この本にはほかにも、
幅広タイプや立体型なども
あるけど、基本はいっしょだよ

コツやポイントを思い出して、
いろんな機種を作って楽しんでね！
そして、よく飛ぶ紙ヒコーキは
どんなものか深掘りしてみよう。
「紙ヒコーキで自由研究」を紹介しているので、
夏休みなどにチャレンジしてね！

未来の
おり紙ヒコーキ博士は
キミたちだ！

距離型

# いかヒコーキ S
## SQUID PLANE S

紙のサイズ：長方形
難易度：★

伝統的ないかヒコーキを改良しました。先端のひれを小さくして飛行性能をアップさせました。

**1**　① 半分に折ってもどす。

　② 4mm くらいすきまをあけて折る。

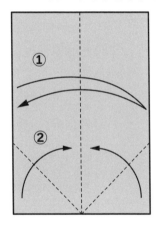

**2**　2mm くらいすきまをあけて折る。

裏返す

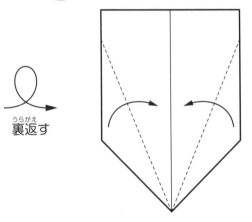

**3**　裏側からめくり出す。

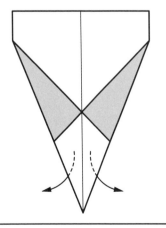

**4**　2mm くらいすきまをあけて、
⬭を合わせて折る。

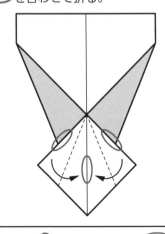

| - - - - - - | - ▪ - ▪ - ▪ | ──────▶ | - - - - - ▶ | ○ | ⬭ |
|:---:|:---:|:---:|:---:|:---:|:---:|
| 谷折り | 山折り | 表に折る | 裏に折る | 目標になる点 | 目標になる線 |

**5** 2mmくらいすきまをあけて、
◯を合わせて折る。

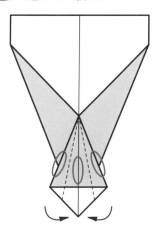

**6** ◯の位置で折る。

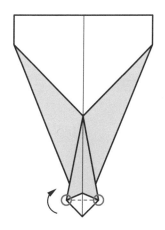

**7** 裏側へ半分に折る。

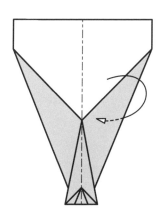

**8** ◯を合わせて翼を折る。
反対側の翼も同じように折る。

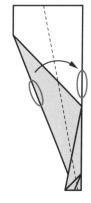

**POINT**

翼は両側の
折り位置を
キッチリ合わせよう

**9** 三面図のように開いて
完成。

折れたら
チェック！

**三面図**

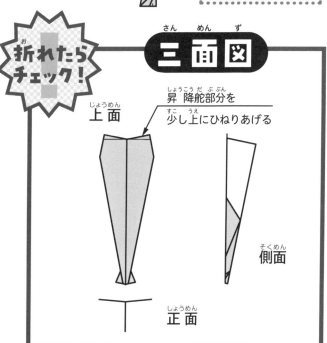

上面

昇降舵部分を
少し上にひねりあげる

側面

正面

# レッドスカイ
## RED SKY

紙のサイズ：長方形
難易度：★

強い投げに耐えられるよう翼を折りこみ強度を持たせています。先端部のコックピットが左右のブレを防ぎ、安定して遠くまで飛んでくれます。

**1** 半分に折ってもどす。

**2** 4mm くらいすきまをあけて折る。

裏返す

**3** 2mm くらいすきまをあけて折る。

裏返す

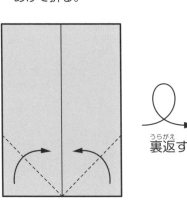

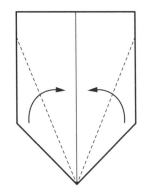

**4** 裏側からめくり出す。

**5** 2mm くらいすきまをあけて、◯を合わせて折る。

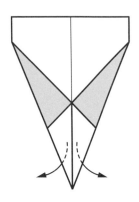

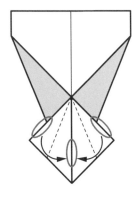

| - - - - - | - · - · - | → | --→ | ◯ | ⬭ |
|---|---|---|---|---|---|
| 谷折り | 山折り | 表に折る | 裏に折る | 目標になる点 | 目標になる線 |

22

**6** 2mm くらいすきまを
あけて、◯ を合わ
せて折る。

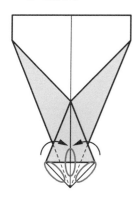

**7** ◯を合わせて折って
もどす。

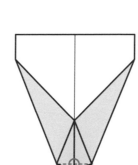

**8** 7の折り線で折る。

裏返す

**9** 裏側へ半分に折る。

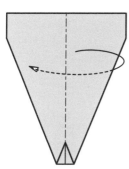

**10** ◯を◯に合わせて翼を折る。
反対側の翼も同じように折る。

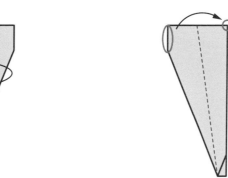

**POINT**
翼は両側の
折り位置を
キッチリ合わせよう

**11** 三面図のように開いて完成。

折れたら
チェック!

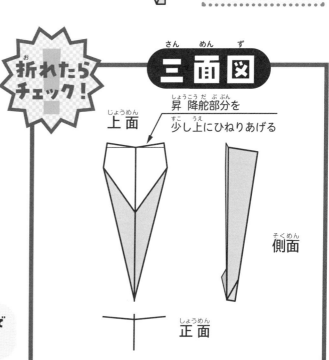

**三面図**

昇降舵部分を
少し上にひねりあげる

上面

側面

正面

12 ～ 19 ページの作り方を読んで
よく飛ぶように機体を調整しよう

# コンセプト SR
エス アール

## CONCEPT SR

滞空型
たいくうがた

紙のサイズ：長方形
かみ　　　　　　　　ちょうほうけい

難易度：★★
なんいど

もっとも原始的なヒコーキです。しかし
げんしてき
もっとも理想的な構造をしています。先
りそうてき　こうぞう
端にいくほど折り重ねが多く、強度と推
たん　　　　　おかさ　おお　きょうど　すい
進力が得やすいようになっています。
しんりょく　え

**1** ①半分に折ってもどす。
はんぶん　お
②半分に折る。
はんぶん　お

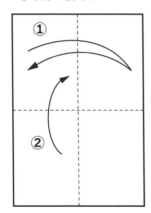

**2** 半分に折る。
はんぶん　お

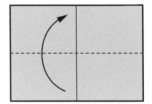

**3** 半分に折る。
はんぶん　お

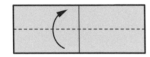

**4** ぜんぶ開く。
ひら

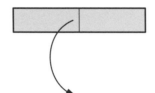

**5** ◯を合わせて折る。
あ　　　　お

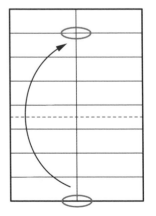

---

- - - - -
谷折り
たにお

- - - - -
山折り
やまお

――――▶
表に折る
おもてお

------▷
裏に折る
うらお

◯
目標になる点
もくひょう　　てん

⬭
目標になる線
もくひょう　　せん

24

**6** ○の位置で折る。

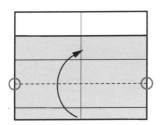

**7** ◯を合わせて折る。

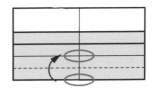

**8** 裏側へ半分に折る。

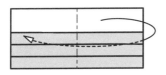

**9** ★の幅で翼を折る。
反対側の翼も同じように折る。

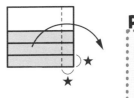

**POINT**

翼は両側の
折り位置を
キッチリ合わせよう

**10** ★の幅で翼の端を折る。
反対側も同じように折る。

**11** 三面図のように開いて完成。

翼のゆがみや
ダブつきがあったら直そう

折れたら
チェック！

**三面図**

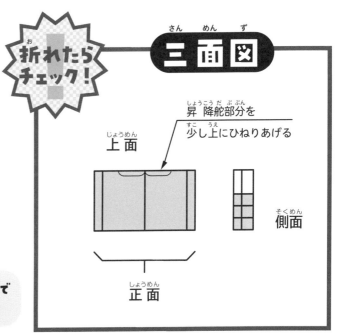

昇降舵部分を
少し上にひねりあげる

上面

側面

正面

12 ～ 19 ページの作り方を読んで
よく飛ぶように機体を調整しよう

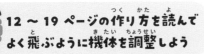

# ハヤテ
## HAYATE

紙のサイズ：長方形
かみ　　　　　　　　　ちょうほうけい
難易度：★★★
なんいど

翼の面積が大きく、抜群の安定感。
つばさ　めんせき　おお　　　　　ばつぐん　あんていかん
昇　降舵をひねらなくてもよく飛ぶ
しょうこうだ　　　　　　　　　　　　　と
ので調整もかんたんです。
ちょうせい

**1** 半分に折ってもどす。
はんぶん　お

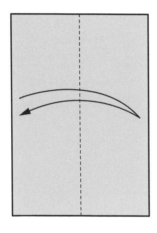

裏返す
うらがえ

**2** 2mmくらいすきまをあけて折る。
お

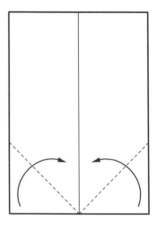

**3** ○の位置で折る。
いち　お

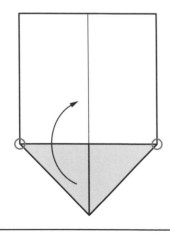

**4** 1mmくらいすきまをあけて
折ってもどす。
お

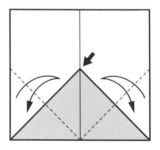

先端が中心線から
せんたん　ちゅうしんせん
ズレないように折る
お

| - - - - - | - - - - - | ——→ | - - - →| ○ | ⬭ |
|---|---|---|---|---|---|
| 谷折り | 山折り | 表に折る | 裏に折る | 目標になる点 | 目標になる線 |
| たにおり | やまおり | おもてにおる | うらにおる | もくひょうになるてん | もくひょうになるせん |

**5** 1mm くらいすきまをあけて、
〇を合わせて折ってもどす。

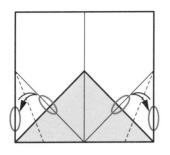

**6** 〇を合わせて折ってもどす。

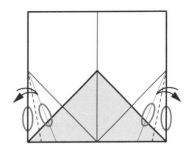

**7** 〇を合わせて折る。

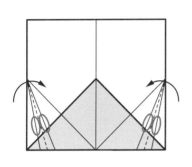

**8** 4の折り線で折る。

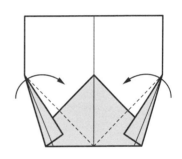

**9** 〇の位置で三角を手前に折る。

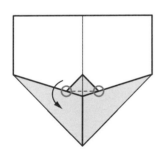

**10** 先端を★の半分の幅で折ってもどす。

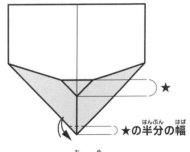

しっかり折り目をつける

**11** 裏側へ半分に折る。

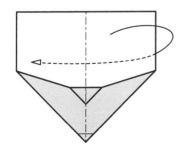

距離型

滞空型

幅広型

立体型

うす紙

**12** 先端を折る。 ※拡大図参照

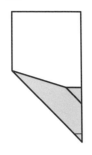

向きを変えたよ

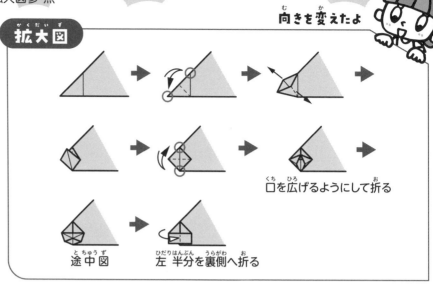

**拡大図**

口を広げるようにして折る

途中図　　左半分を裏側へ折る

---

**13** 図の位置で翼を折る。
反対側の翼も
同じように折る。

☆
☆

**POINT**

翼は両側の
折り位置を
キッチリ合わせよう

**14** 翼の端を 5mm の幅で折る。
反対側も同じように折る。

5mm

**15** 三面図のように開いて
完成。

折れたら
チェック!

**三面図**

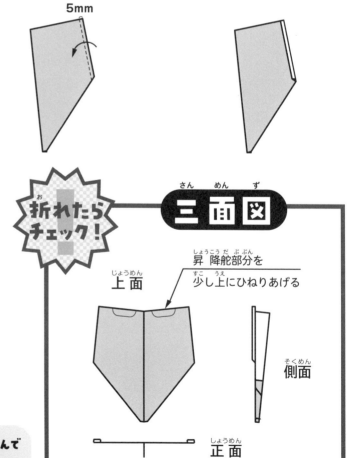

上面

昇降舵部分を
少し上にひねりあげる

側面

正面

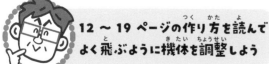

12 〜 19 ページの作り方を読んで
よく飛ぶように機体を調整しよう

# 広〜い場所で 強く投げてみよう！

はーい！

はーい！

15ページのように投げて、
まっすぐきれいに飛ぶようになったら、
タイプ別の投げ方で飛ばしてみよう。

> 注意　人が多いところ、火の近く、道路の近くでは遊ばないでね。

## 滞空型ヒコーキ

真上に向けてできるだけ高く投げ上げる。
手首のスナップは使わず、棒を投げるように押し出す。

**1** 両足を肩幅くらいに開き、
右ききの場合は右足を
少し前に出して立つ。

※左ききの場合は、
逆の手と足で
行ってください。

**2** 右足に体重を
かけるように
しゃがみこみ、

**3** 真上を
見上げて

**4** 全身をバネのようにして
真上に投げ上げる。

ピューッ

このように
上空で反転して
飛行に移れば成功！

## 距離型ヒコーキ

自然にやや上向きにかまえ、棒をまっすぐに投げる
イメージで、思いきり送り出す。

**1** 2、3歩助走を
つけて

**2** 5度〜10度上を
ねらって

**3** まっすぐ押し出す
ように投げる。

# へそヒコーキ N

## NAVEL PLANE TYPE-N

紙のサイズ：長方形
難易度：★

もっともよく知られた伝承作品をさらに飛ぶように改良しました。かんたんゆえに自分の力量が試される、まさに基本の紙ヒコーキ。裏側の真ん中辺りにへそのような折り返しがあることから、この名前がついたと言われています。

**1** 半分に折ってもどす。

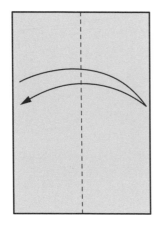

**2** 2mmくらいすきまをあけて折る。

裏返す

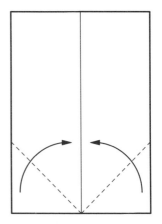

**3** ○を合わせて折ってもどす。

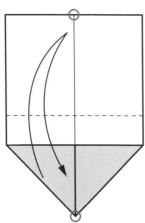

**4** ○を合わせて折る。

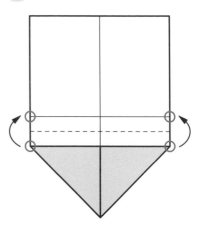

| ------- 谷折り | -·-·-·- 山折り | →表に折る | ⇢裏に折る | ○目標になる点 | ⬭目標になる線 |

30

**5** 1mm くらいすきまを
あけて折る。

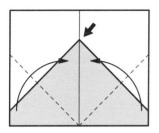

先端が中心線から
ズレないように折る

**6** 中央の三角を
手前に折る。

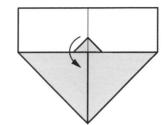

**7** 先端を★の半分の幅で
折る。

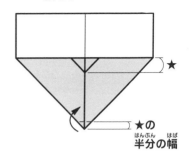

★

★の
半分の幅

**8** 裏側へ半分に折る。

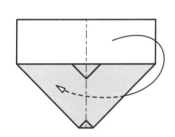

**9** ⬭を〇に合わせて
図の位置で翼を折る。
反対側の翼も同じように折る。

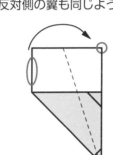

☆ ☆

**POINT**
翼は両側の
折り位置を
キッチリ合わせよう

**10** 三面図のように開いて
完成。

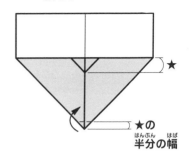

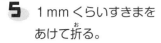

シンプルだからこそ、
折りのズレやダブつきが
出ないように
折り方に
気をつけよう。

12〜19ページの作り方を読んで
よく飛ぶように機体を調整しよう

折れたら
チェック!

**三面図**

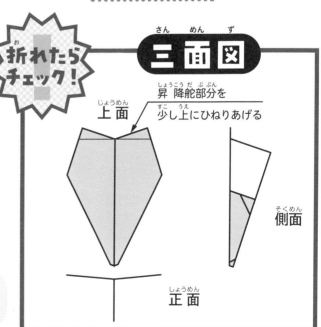

上面

昇降舵部分を
少し上にひねりあげる

側面

正面

距離型
滞空型
幅広型
立体型
うす紙

# ロングプレーン

## LONG PLANE

距離・滞空型

紙のサイズ：長方形
難易度：★★

一見シンプルなようで意外とむずかしいヒコーキです。翼のよじれが少なければ、まっすぐにきれいに飛んでくれます。

**1**
① 半分に折ってもどす。
② 半分に折る。

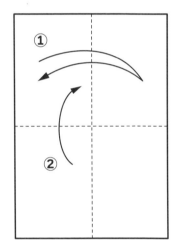

**2** 半分に折って、ぜんぶ開く。

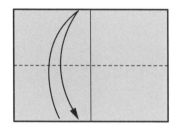

**3** ○を合わせて折る。

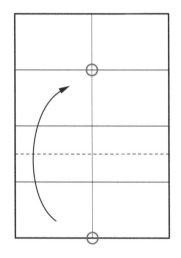

**4** ○を合わせて折る。

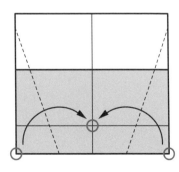

**5** ○を合わせて折る。

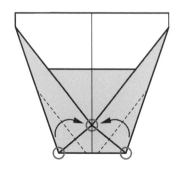

**6** ○を合わせて折る。

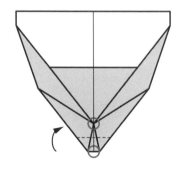

| 谷折り | 山折り | 表に折る | 裏に折る | 目標になる点 | 目標になる線 |
|---|---|---|---|---|---|

**7** 裏側へ半分に折る。

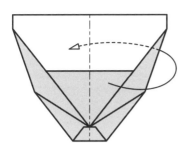

**8** ⬭を合わせて折ってもどす。

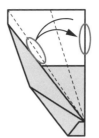

**9** 8の折り線で中割り折りをする。

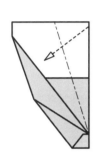 → 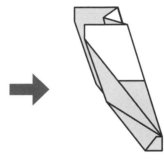 →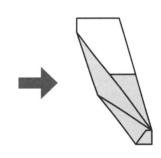

**10** 図の位置で翼を折る。
反対側の翼も同じように折る。

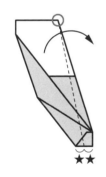

★★

**POINT**

翼は両側の折り位置を
キッチリ合わせよう

大切だよ

**11** 三面図のように開いて完成。

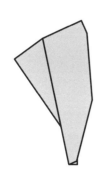

折れたら
チェック！

**三面図**

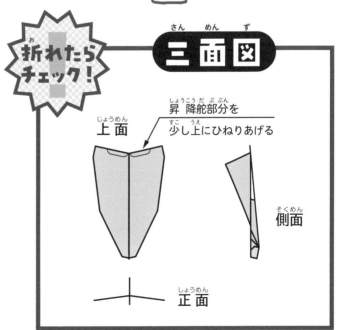

昇降舵部分を
少し上にひねりあげる

上面

側面

正面

距離型 滞空型 幅広型 立体型 うす紙

# デュアルキング
## DUAL KING

紙のサイズ：長方形
難易度：★★

滞空性能を高めるため先端部をロックし安定性を持たせました。さらに強い投げにも耐えられるよう翼の上下の重なりで強度をつけました。

**1** 半分に折ってもどす。

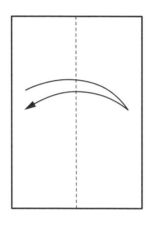

裏返す

**2** 2mm くらいすきまをあけて折る。

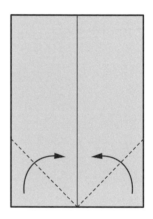

**3** ○の位置で折る。

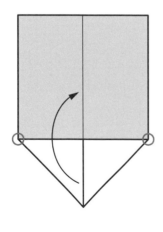

裏返す

**4** 1mm くらいすきまをあけて折る。

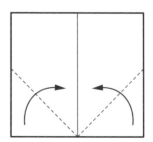

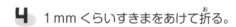

| - - - - - | ‐‐‐‐‐ | → | - - - → | ○ | ⬭ |
|---|---|---|---|---|---|
| 谷折り | 山折り | 表に折る | 裏に折る | 目標になる点 | 目標になる線 |

**5** ○を合わせて、中央に少し折り目をつけてもどす。

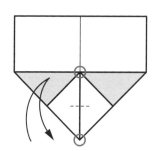

**6** ○を合わせて折ってもどす。

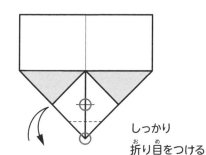

しっかり折り目をつける

**7** 裏側へ半分に折る。

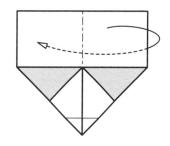

**8** 先端を折る。
※拡大図参照

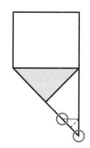

向きを変えたよ

距離型
滞空型
幅広型
立体型
うす紙

**拡大図**

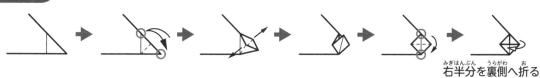

右半分を裏側へ折る

**9** ○を○に合わせて翼を折る。反対側の翼も同じように折る。

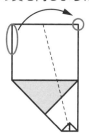

**POINT**
翼は両側の折り位置をキッチリ合わせよう

折れたらチェック！

**三面図**

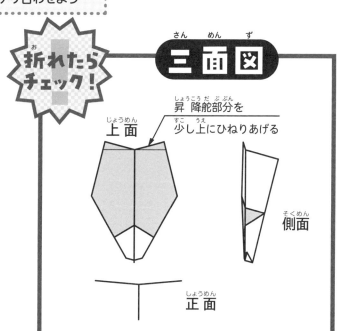

昇降舵部分を少し上にひねりあげる

上面

側面

正面

**10** 三面図のように開いて完成。

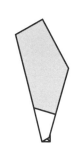

35

# ハンググライダーII型

幅広型

## HANG GLIDER II

紙のサイズ：正方形
難易度：★★★

きちんと折れた機体は本物のように
みごとな滑空を見せてくれます。全
長が短く横幅の広い、見た目もかっ
こいいひと味ちがった紙ヒコーキ。

**1** 半分に折ってもどす。

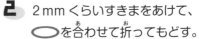
裏返す

**2** 2mmくらいすきまをあけて、
⬭を合わせて折ってもどす。

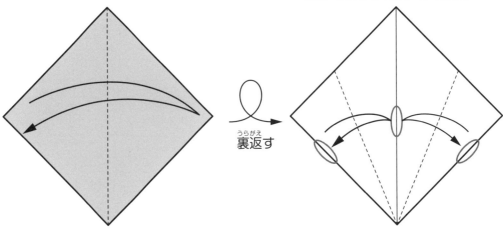

**3** 1mmくらいすきまをあけて、
⬭を合わせて折る。

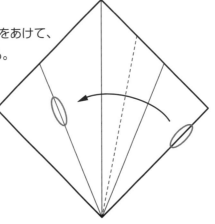

| - - - - | - - - - | → | - - →| ○ | ⬭ |
|---|---|---|---|---|---|
| 谷折り | 山折り | 表に折る | 裏に折る | 目標になる点 | 目標になる線 |

36

**4** ○の位置で折る。

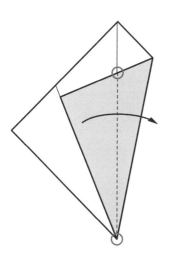

**5** ◯を合わせて折る。

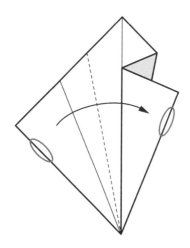

**6** ○の位置で折る。

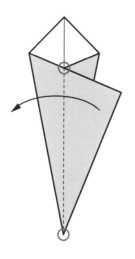

**7** ○を合わせて折ってもどす。

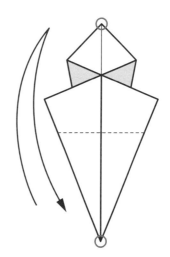

**8** ○の位置で折る。

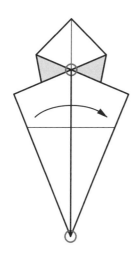

**9** ○を◯に合わせて折る。

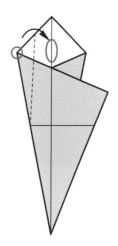

**10** ○の位置で2枚を折る。

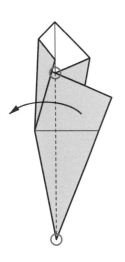

**11** ○を合わせて折る。

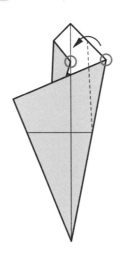

**12** ○の位置で1枚を折る。

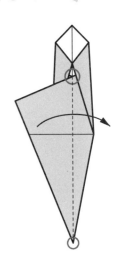

**13** 左右に開きながら、○を合わせて折る。

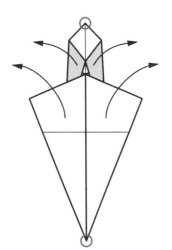

**途中図**

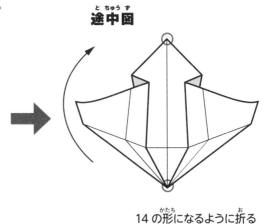

14の形になるように折る

**14** ○を合わせて1枚を折ってもどし、裏側へ折る。

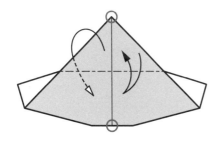

**15** ○を⬯に合わせて折ってもどし、裏側へ折る。

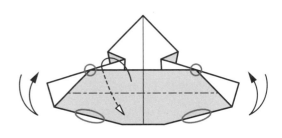

---

| - - - - - | - ·· - ·· - | ──────▶ | - - - - - -▶ | ○ | ⬯ |
|:---:|:---:|:---:|:---:|:---:|:---:|
| 谷折り | 山折り | 表に折る | 裏に折る | 目標になる点 | 目標になる線 |

38

**16** ○を合わせて折る。

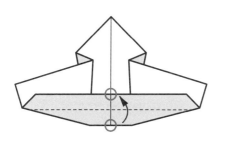

**17** ○を合わせて折ってもどし、裏側へ折る。反対側も同じように折る。

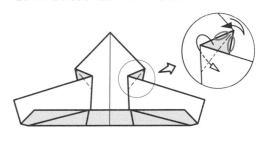

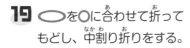

**18** 裏側へ半分に折る。

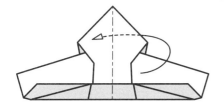

**19** ○を○に合わせて折ってもどし、中割り折りをする。

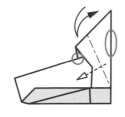

33ページの9図を参照

**20** ○の位置で翼を折る。反対側の翼も同じように折る。

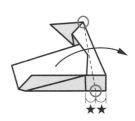
★★

**POINT**

翼は両側の折り位置をキッチリ合わせよう

**21** 三面図のように開いて完成。

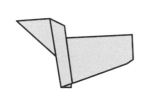

折れたらチェック！

軽い力でそっと飛ばすよ

わーい♪

12〜19ページの作り方を読んでよく飛ぶように機体を調整しよう

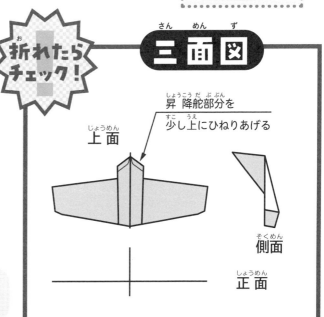

三面図

昇降舵部分を少し上にひねりあげる

上面

側面

正面

# ステルス

## STEALTH

紙のサイズ：長方形
(かみ) (ちょうほうけい)

難易度：★★★
(なんいど)

前方の折りが複雑で、さらには幅広
(ぜんぽう)(お)(ふくざつ)(はばびろ)
の後退した翼で調整もむずかしい機
(こうたい)(つばさ ちょうせい)(き)
種です。翼のよじれ、たるみに気を
(しゅ)(つばさ)
つけながら折りましょう。
(お)

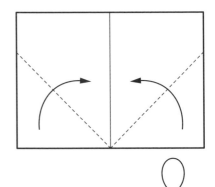

**1** 半分に折ってもどす。
(はんぶん)(お)

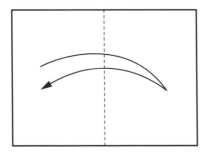

**2** 2mm くらいすきまをあけて折る。
(お)

裏返す
(うらがえ)

**3** 〇を合わせて折る。
(あ)(お)

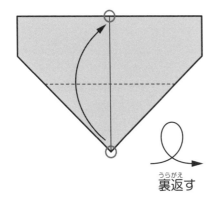

裏返す
(うらがえ)

**4** 〇の位置で折る。
(いち)(お)

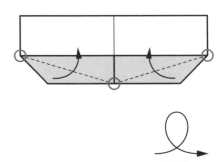

裏返す
(うらがえ)

| - - - - - - | - - ・- - ・- | ──→ | - - - - - -▶ | ○ | ⬭ |
|---|---|---|---|---|---|
| 谷折り (たにお) | 山折り (やまお) | 表に折る (おもてお) | 裏に折る (うらお) | 目標になる点 (もくひょう てん) | 目標になる線 (もくひょう せん) |

**5** ○の位置で三角を手前に折る。

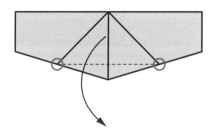

裏返す

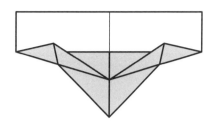

**6** 内側から引っぱり出す。

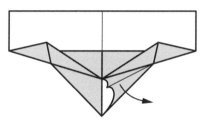

7の形になるように

**7** 反対側も同じように引っぱり出す。

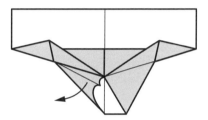

**8** ⬭を合わせて折ってもどす。

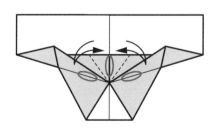

**9** ○を合わせて折る。

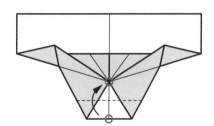

距離型

滞空型

幅広型

立体型

うす紙

**10** 8の折り線で裏側へ折る。

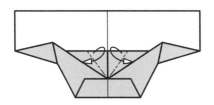

**11** ○の位置で折る。

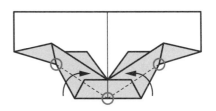

**10** ○を合わせて折る。

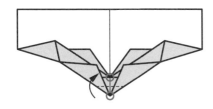

**11** 裏側へ半分に折る。

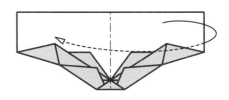

**12** ★の位置で⬯を合わせて折ってもどす。

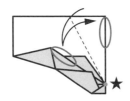

**13** 中割り折りをする。

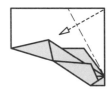

33 ページの 9 図を参照

| - - - - - | - - - - - | → | - - - - ▷ | ○ | ⬯ |
|:---:|:---:|:---:|:---:|:---:|:---:|
| 谷折り | 山折り | 表に折る | 裏に折る | 目標になる点 | 目標になる線 |

**14** ○の位置で翼を折る。
反対側の翼も同じように折る。

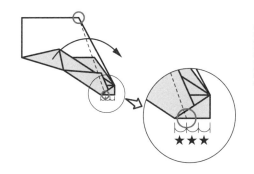

**POINT**
翼は両側の折り位置を
キッチリ合わせよう

大切だよ

**15** 三面図のように開いて完成。

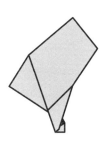

折り重なりが多いので、
しっかり折り目をつけて、
翼がダブつかないように
気をつけよう。
18ページの調整の
しかたを参考にしよう

距離型
滞空型
幅広型
立体型
うす紙

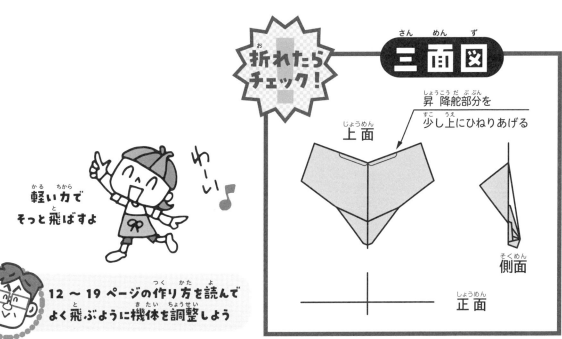

折れたら
チェック！

**三面図**

昇降舵部分を
少し上にひねりあげる

上面

側面

正面

軽い力で
そっと飛ばすよ

わーい♪

12～19ページの作り方を読んで
よく飛ぶように機体を調整しよう

# クラウドスルー
## CLOUD THROUGH

紙のサイズ：正方形
難易度：★★★

安定感のある立体形状と飛行性能が魅力の機種です。ちょっと飛び出た角が他の紙ヒコーキにはないかっこよさを見せてくれます。ゆったりとした飛び方をします。

**1** 半分に折ってもどす。

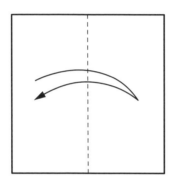

**2** 半分に折ってもどす。

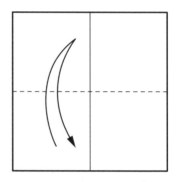

**3** 1mmくらいすきまをあけて、⬭を合わせて折る。

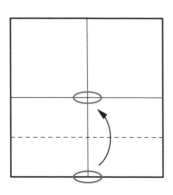

**4** 2mmくらいすきまをあけて、⬭を合わせて折ってもどす。

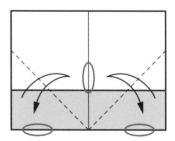

| - - - - - | - - - - - | ⟶ | - - ▶ | ○ | ⬭ |
|---|---|---|---|---|---|
| 谷折り | 山折り | 表に折る | 裏に折る | 目標になる点 | 目標になる線 |

**5** 1 mm くらいすきまをあけて、
〇を合わせて折ってもどす。
反対側も同じように折ってもどす。

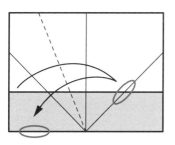

**6** 半分に折る。

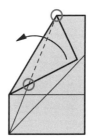

**7** 〇の位置で折る。

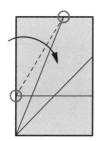

**8** 〇の位置で折る。

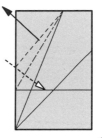

**9** 7と8の折り線にしっかり折り目を
つけたら、7の状態にもどす。

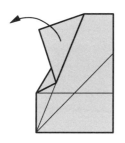

**10** 7の折り線を山折りに、
8の折り線を谷折りにして、
11の形になるように中に折りこむ。

これを2段中割り折りといいます

**11** ○の位置で折ってもどす。
反対側も同じように折ってもどす。

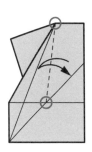

**12** 6の状態にもどす。

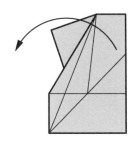

**13** 1mm くらいすきまをあけて
○を合わせて折る。

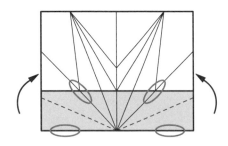

**14** ○を合わせて折ってもどす。

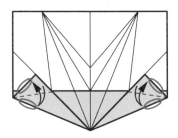

**15** ○を合わせて折る。

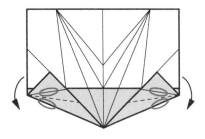

**16** 4の折り線で折る。

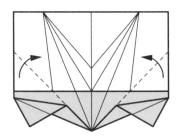

---

| - - - - - - - | - · - · - · - | ⟶ | - - - - -➤ | ○ | ⬭ |
|---|---|---|---|---|---|
| 谷折り | 山折り | 表に折る | 裏に折る | 目標になる点 | 目標になる線 |

**17** 2か所をテープでとめ、中央の三角形を左右とも、上に立てるように折る。

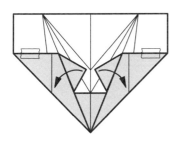

**18** 山折りと谷折りの線をつけながら、◯を合わせて中央に引きよせる。

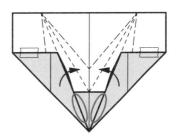

**19** 2か所をテープでとめる。三面図のように開いて完成。

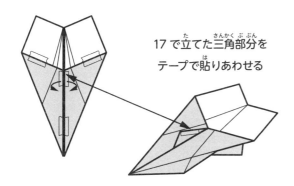

17で立てた三角部分をテープで貼りあわせる

飛ばすときは、この三角部分を持ち、そっと飛ばそう

折り目をしっかりつけておくと立体にするときに形を作りやすいよ。

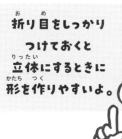

折れたらチェック!

12 ～ 19 ページの作り方を読んでよく飛ぶように機体を調整しよう

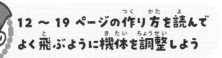

### 三面図

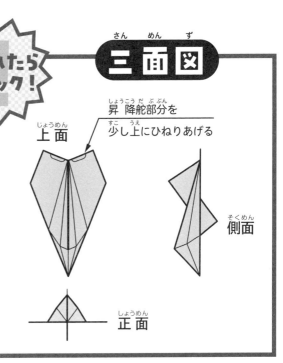

昇降舵部分を少し上にひねりあげる

上面

側面

正面

# ベガ

## VEGA

紙のサイズ：長方形
かみ　　　　　　ちょうほうけい

難易度：★★★
なんいど

ベガとはおりひめ星のこと。天空で
ぼし　　　　　　てんくう
もっとも明るい星のごとく、流れ星
あか　　ほし　　　　　　　　なが　　ほし
のように宙を切って飛びます。形も
ちゅう　き　　と　　　　　　かたち
ユニークで存在感があります。
そんざいかん

**1** ①半分に折ってもどす。
はんぶん　お
②半分に折ってもどす。
はんぶん　お

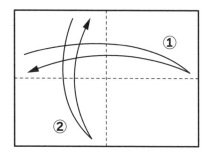

**2** 1mm くらいすきまをあけて
◯を合わせて折る。
あ　　　　お

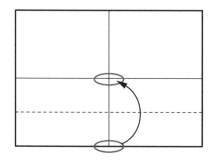

**3** 2mm くらいすきまをあけて
折ってもどす。
お

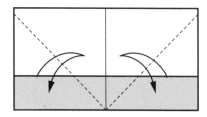

**4** 1mm くらいすきまをあけて、
◯を合わせて折ってもどす。
あ　　　　お

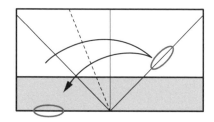

| - - - - - | - - ・- - ・ | ──→ | - - - -→ | ◯ | ⬭ |
|---|---|---|---|---|---|
| たに お | やま お | おもて お | うら お | もくひょう てん | もくひょう せん |
| 谷折り | 山折り | 表に折る | 裏に折る | 目標になる点 | 目標になる線 |

**5** 1mm くらいすきまをあけて、
◯を合わせて折ってもどす。

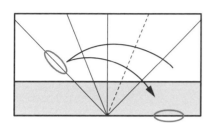

**6** 半分に折る。

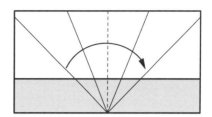

**7** ◯の位置で折る。

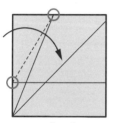

しっかり折り目をつける

**8** ◯の位置で折ったら、
7の状態にもどす。

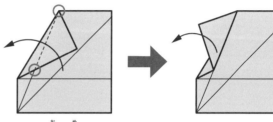

しっかり折り目をつける

**9** 7の折り線を山折りに、8の折り線を谷折りにして、中に折りこむ。

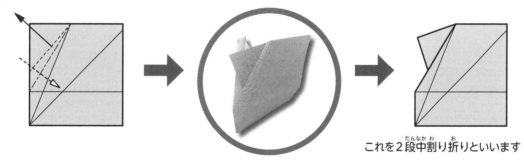

これを2段中割り折りといいます

**10** ◯の位置で折ってもどす。反対側も同じ
ように折ってもどす。6の状態にもどす。

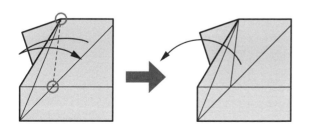

**11** 1mm くらいすきまをあけて、
◯を合わせて折る。

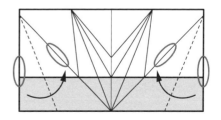

距離型

滞空型

幅広型

立体型

うす紙

**12** 1mm くらいすきまをあけて、
○を合わせて折る。

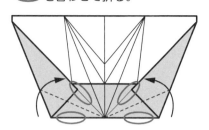

**13** ○を合わせて折る。

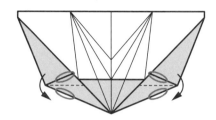

**14** ○付近をつまんで横に引きぬき、押さえる。

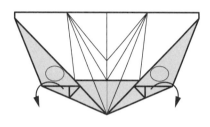

15 の形になるように
引きぬこう

**15** 3の折り線で折る。

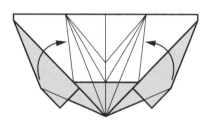

**16** 10で折った○の線で裏側へ回す。

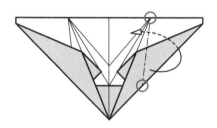

**17** 内側を開いてテープでとめる。
反対側も同じようにする。

裏側へ巻いて貼る

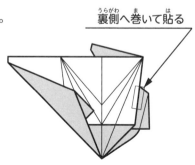

| - - - - - - | - - - · - - - | → | - - - - - -▷ | ○ | ⬭ |
|---|---|---|---|---|---|
| 谷折り | 山折り | 表に折る | 裏に折る | 目標になる点 | 目標になる線 |

**18** ① 中央の三角形を左右とも、上に立てるように折る。
② ○付近をつまんで中央に引きよせる。

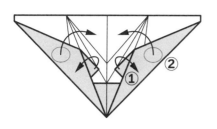

折り目をしっかり
つけておくと
立体にするときに
形を作りやすいよ。

**19** 18の①で立てた三角部分を
テープで貼りあわせる。

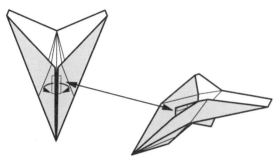

**20** テープを貼る。

すきまをあける

裏返す

**21** ○の位置で翼の両端を折る。

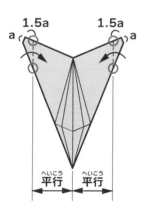

1.5a    1.5a
a              a

平行    平行

折れたら
チェック！

**三面図**

**22** 21で折った両端を開いてつぶし、
三面図のように上下に立てて完成。

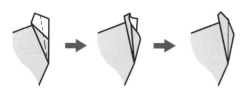

端を起こしながら内側を開いてつぶす

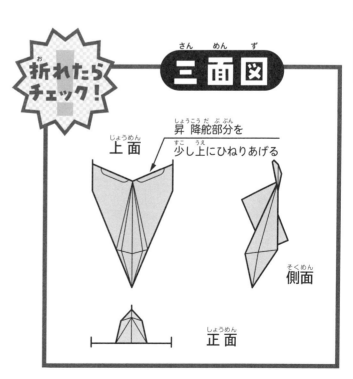

上面

昇降舵部分を
少し上にひねりあげる

側面

正面

距離型

滞空型

幅広型

立体型

うす紙

# デルタウイング

## DELTA WING

紙…グラシン紙
紙のサイズ：A5
（148×210mm）
難易度：★★

機体の前後を閉じ、翼の内側を折りこんで安定性と強度を持たせて、うすい紙でも長く飛び続けられるようにしました。うすい紙で折った後、室内で飛ばしてみましょう。

**1** 半分に折ってもどす。

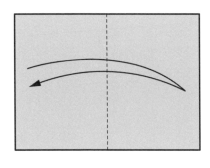

裏返す

**2** ○を合わせて中央に少し折り目をつけてもどす。

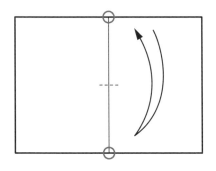

**3** ○を合わせて折る。

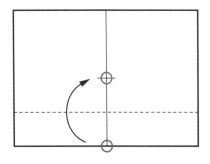

**4** 2mm くらいすきまをあけて折ってもどす。

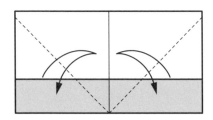

| - - - - - | - - - - - | →表に折る | ⇢裏に折る | ○目標になる点 | ⬭目標になる線 |
|---|---|---|---|---|---|
| 谷折り | 山折り | 表に折る | 裏に折る | 目標になる点 | 目標になる線 |

グラシン紙は大型文具店やネット通販、100円ショップなどで手に入ります。
A5サイズ（A4の半分。148×210mm）に切って作ろう。
グラシン紙がなくてもうすい紙で作れるよ。

**5** ○を◯に合わせて折る。

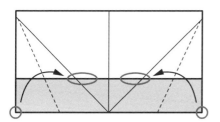

**6** 4の折り線で折る。

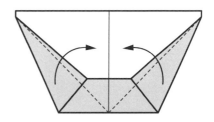

## POINT

巻きこんで折ることで翼の強度を上げているよ

**7** ○を合わせて折ってもどす。

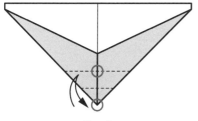

しっかり折り目をつける

**8** 裏側へ半分に折る。

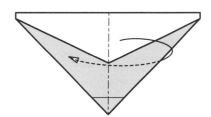

距離型

滞空型

幅広型

立体型

うす紙

**9** 先端を折る。 ※拡大図参照

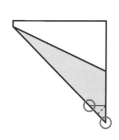

向きを変えたよ

### 拡大図

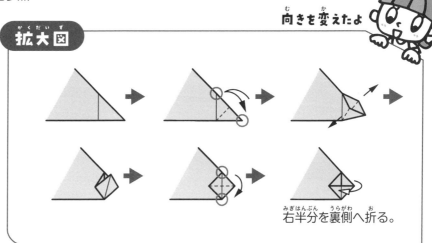

右半分を裏側へ折る。

**10** ★の幅で翼を折ってもどす。
反対側も同じように折ってもどす。

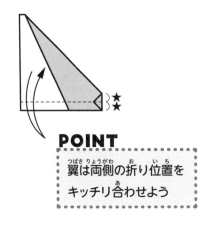

**POINT**

翼は両側の折り位置を
キッチリ合わせよう

**11** 〇を⬭に合わせて図の位置で折る。

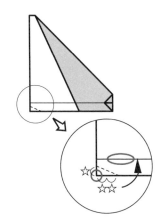

**12** さらに巻きこむように折って、ぜんぶもどす。

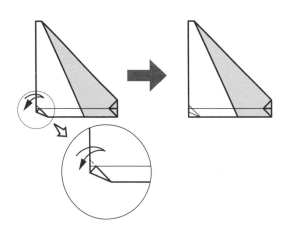

**13** 口を開くように内側を広げ、つぶすように折る。

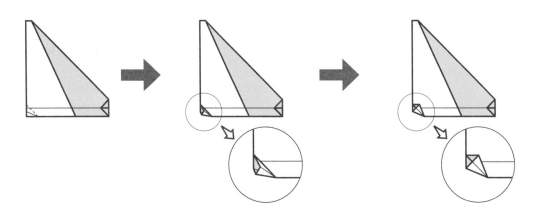

---

- - - - - - 谷折り　———·— 山折り　⟶ 表に折る　---➤ 裏に折る　〇 目標になる点　⬭ 目標になる線

54

**14** 左 半分を裏側へ折る。

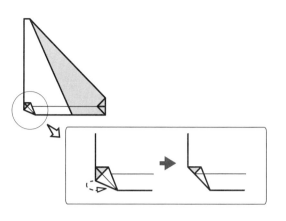

**15** 10の折り線で翼をもう一度折る。反対側も同じように折る。

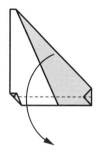

## POINT

機体の後ろ側も閉じることで、翼が開かないようにしているよ

**16** ★の幅で翼の端を折る。反対側も同じように折る。

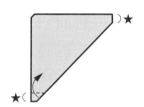

**17** 三面図のように開いて完成。

機体の後ろ部分を下から見たところ

折れたらチェック!

そっと押し出すように飛ばしてみよう

12 〜 19 ページの作り方を読んでよく飛ぶように機体を調整しよう

## 三面図

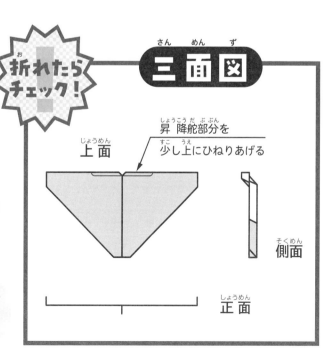

昇降舵部分を少し上にひねりあげる

上面

側面

正面

# ホワイトイーグル
## WHITE EAGLE

うす紙で作る

紙…グラシン紙
紙のサイズ：正方形
（150×150mm）
難易度：★

折り方はこの本の中で一番かんたんですが、大きな翼を広げて優雅に飛んでくれます。翼の角度の調整をていねいに行いましょう。

**1** 正方形の紙を対角線で半分に切る。（半分を使う）

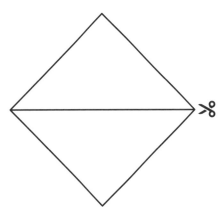

**2** 半分に折ってもどす。

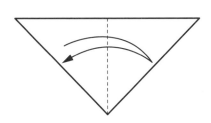

**3** ○を合わせて折る。

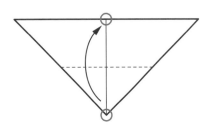

**4** ○を合わせて折ってもどす。

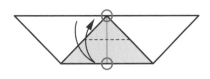

| ------ | ------ | ------ | ------ | ○ | ⬭ |
|:---:|:---:|:---:|:---:|:---:|:---:|
| 谷折り | 山折り | 表に折る | 裏に折る | 目標になる点 | 目標になる線 |

グラシン紙は大型文具店やネット通販、100円ショップなどで手に入ります。150×150mmのグラシン紙おり紙で作ろう。グラシン紙がなくてもうすい紙で作れるよ。

**5** 図の位置で折る。

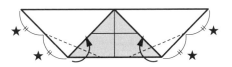

**6** ○を合わせて折る。

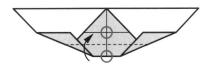

**7** ○の位置で三角を手前に折る。

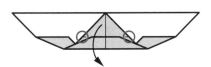

**8** ○と⬭が重なるように直角に折る。

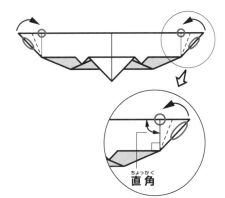

直角

**9** 三面図のように開いて完成。

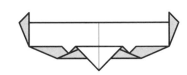

持ち方

そっと
押し出すように
飛ばしてみよう

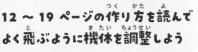
12～19ページの作り方を読んで
よく飛ぶように機体を調整しよう

折れたら
チェック！

三面図

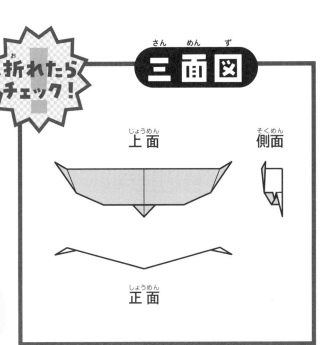

上面

側面

正面

# おり紙ヒコーキ博士 拓ちゃんの
# 自由研究のススメ

よく飛ぶ紙ヒコーキとはどういうものだろう？
だんだん飛ぶようになって、紙ヒコーキが前より好きになったキミ、
紙ヒコーキを深掘りしてみないかい？
紙や折り方を変えてみたり、いろいろ試すうちに、紙ヒコーキの特徴がつかめて、
もっとよく飛ばせるようになるよ。新しい機種が生まれるかもしれないね。
紙ヒコーキでキミだけの自由研究にチャレンジしよう！

## ●どんなヒコーキで試せばいい？

作り方のやさしいヒコーキを使うのがいいぞ

遠くに飛ばす距離型 ▶ やりヒコーキ

長く飛ばす滞空型 ▶ へそヒコーキやスカイキング

## ●自由研究をするときのポイント

**Point 1** 紙の大きさはちがっても折り位置は変えずにできるだけ同じ形に作る。

**Point 2** 実験で投げる前には機体の調整、確認をする。

**Point 3** 紙ヒコーキを持つ位置を同じにする。

いいとこに気がついたね。
重心または重心より少し前側を持つといいんだけど、
前側や後側など持つ位置をいろいろ変えて投げてみるのも自由研究の1つになるぞ

博士、紙ヒコーキはどこを持って投げたらいいの？

しっそーん

**Point 4** 1回だけ投げて確かめるのではなく、5回ぐらいは投げて記録する。

## 記録の例

折り紙ヒコーキ　紙の種類別飛距離　　　　実験日：20XX 年 XX 月 XX

場　所：○○○○○　　天候：晴れ　気温：20℃　湿度：40%

| No. | 紙の種類 | 飛んだ距離（m） | | | | | | 順位 | 備　考 |
|---|---|---|---|---|---|---|---|---|---|
| | | 1回目 | 2回目 | 3回目 | 4回目 | 5回目 | 平均 | | |
| 1 | コピー用紙 | | | | | | | | |
| 2 | 画用紙 | | | | | | | | |
| 3 | 新聞紙 | | | | | | | | |
| 4 | ツルツルチラシ | | | | | | | | |

飛んだ距離だけでなく、作りやすさ、
持ちやすさ、投げやすさ、紙ヒコーキの
状態など、気づいたことを書いておくといいぞ

# おり紙ヒコーキ博士 拓ちゃんの 紙ヒコーキで自由研究

どんな紙がよく飛ぶか

## ①いろんな紙でくらべてみよう！

- ●コピー用紙　●画用紙
- ●新聞紙　●ツルツルしたチラシ
- ●和紙　●厚紙　…など

〜身の回りにある紙や、かんたんに手に入る紙を準備しよう〜

博士、紙の大きさは？

同じ大きさでくらべるんだよ！

そうだな〜、作りやすくて投げやすいA4サイズがいいぞ！

どんな紙ヒコーキを作ればいいの？

かんたんなやりヒコーキで距離をくらべてみよう

紙の種類ごとに記録をとってみよう。どういう紙がよく飛ぶかな？

結果が楽しみ！

### 折り紙ヒコーキ　紙の種類別飛距離

実験日：20XX 年 XX 月 XX

場　所：○○○○○　　天　候：晴れ　　気　温：20℃　　湿　度：40%

| No. | 紙の種類 | 飛んだ距離（m） | | | | | | 順位 | 備　考 |
|---|---|---|---|---|---|---|---|---|---|
| | | 1回目 | 2回目 | 3回目 | 4回目 | 5回目 | 平　均 | | |
| 1 | コピー用紙 | | | | | | | | |
| 2 | 画用紙 | | | | | | | | |
| 3 | 新聞紙 | | | | | | | | |
| 4 | ツルツルチラシ | | | | | | | | |

おり紙ヒコーキ博士
拓ちゃんの

紙ヒコーキで

# 自由研究

よく飛ぶ紙の大きさは

## ②紙の大きさを変えてみよう！

| | | |
|---|---|---|
| A3 | A4 | |
| | A5 | A6 |

● A3 サイズ
● A4 サイズ
● A5 サイズ  …など

A6 サイズは A4 の四分の一

博士、紙はなんでもいいの？

手に入れやすいコピー用紙がいいぞ！　A6 サイズもあるとちがいがよくわかるかも〜

どんな紙ヒコーキを作ればいいの〜？

おしえてー！！

ぜひ

やりヒコーキで距離をくらべてみよう。
へそヒコーキやスカイキングで滞空時間をくらべてもいいぞ

おり紙ヒコーキ博士
拓ちゃんの

紙ヒコーキで

# 自由研究

ベストな翼の大きさは

## ③翼の大きさを変えてみよう!

博士、紙ヒコーキの翼は
大きい方がいいの?

大きい方がとびそう……

やりヒコーキで
翼を折る位置を変えて作り、
距離をくらべてみよう

### 翼の折り位置を変えてみる

標準より上の位置で折ると翼は小さく、下の位置で
折ると翼は大きくなる

やりヒコーキの作り方⑦
(14 ページ)

標準

翼を小さくしたとき、
大きくしたとき、標準の
3種類で試しては
どうかな

はい!

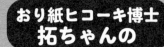

# 紙ヒコーキで自由研究

## 重心の位置と飛び方

## ④先端の折り曲げの大きさを変えてみよう!

### 先端の折り位置を変えてみる

やりヒコーキの作り方④⑤（13ページ）

# 紙ヒコーキで 自由研究

組み合わせて研究

## ⑤紙の種類と大きさのマッチング探し

博士、紙の種類によって
ちょうどいい大きさってあるの?

はい質問です

試したい紙をいろんなサイズで
作ってくらべてみよう

やってみよう

研究①と②の
ミックスだね

「この紙で作るなら
この大きさがいい」と
いうのが見つかるかもね!

どんどん
ためして
みよう!

| 画用紙 | → | ? |
| コピー用紙 | → | ? |

画用紙で
ためしてみようかな

じゃあぼくは…

# 紙ヒコーキで自由研究

おり紙ヒコーキ博士 拓ちゃんの

まだまだあるぞ！

## ⑥キミだけの自由研究を！

博士、紙ヒコーキに
ますますハマリそうです♪

いいね♪～研究のテーマはほかにも

● 形による特徴
● 飛び方のちがい
● 速さのちがい
● 投げ方のくふう

など、いろいろありそうだよ

知りたいことや、「はて？」と不思議に
思うことをテーマにして
自分だけの自由研究をしてみてね！

たくさんあるよ

はい！
ありがとうございました
やってみまーす

# 見てみよう　行ってみよう

## ▶紙ヒコーキ博物館

2001年にオープンした日本で唯一の紙ヒコーキ専門博物館。戸田館長自作ヒコーキ数百機と、全国や海外のヒコーキ作家から寄せられたオリジナル作品などを展示。ほかにも風洞実験装置で翼にかかる風の影響や揚力が発生するしくみなどを実体験できます。指導員による折り方指導を行っています。ぜひ、遊びに来てください。

住所：広島県福山市御幸町中津原1396番地

電話・FAX：084-961-0665　メール：info@oriplane.com

入場料：100円（3歳以上一律料金）

開館日：毎週土曜日10時〜16時（平日・日曜祝日の入館希望については、事前にメールまたは電話でご相談ください）

## ▶とよまつ紙ヒコーキ・タワー

2003年完成。展望台を持つ世界初の紙ヒコーキ専門タワー。1階では紙ヒコーキ教室が開かれ、2階展望室からは、自作の紙ヒコーキを飛ばせます。定期的に紙ヒコーキ全国大会や世界大会を開く予定。

住所：広島県神石郡神石高原町下豊松381　米見山山頂

電話：0847-84-2000

入場料：300円（小学生以上）　専用エコ用紙5枚付き

開館日：火・木・土・日・祝日（12〜2月は休館）

4〜9月は10時〜18時　10・11・3月は10時〜17時

GW、夏休み（7月下旬〜8月末）は無休

著者紹介

# 戸田 拓夫 （とだ たくお）

1956 年、広島県福山市生まれ。
高校時代は剣道で活躍（2 段）。早稲田大学中退、在学中に登山活動で体調を
崩し入院したのを機におり紙ヒコーキの開発を始める。立体おり紙ヒコーキなど
開発した機種は 1,000 以上にのぼる。
広島県神石高原町に紙ヒコーキタワー建設を提唱、2003 年完成。

● 現在

精密鋳造会社キャステムグループ（社員総数 1,500 名）の社長を務める。
折り紙ヒコーキ協会会長。紙ヒコーキ博物館館長。

## 折り紙ヒコーキ協会

1995 年設立。正式な競技ルールに基づいた
競技会や教室を開催するとともに、講演も行っ
ています。イベントほか様々な情報
が得られます。

http://www.oriplane.com/

Introduction

折り図・撮影●戸田拓夫／折り紙ヒコーキ協会
協　力●藤原宣明／佐藤逸穂／長谷川玲亜
　　　　（折り紙ヒコーキ協会）
イラスト●伊東ぢゅん子
本文デザイン●志賀友美

# 拓ちゃん博士の
## よく飛ぶおり紙ヒコーキ教室

2024 年 7 月 29 日　第 1 刷発行

著者●戸田拓夫
発行人●新沼光太郎
発行所●株式会社いかだ社
　　　　〒 102-0072　東京都千代田区飯田橋 2-4-10　加島ビル
　　　　Tel.03-3234-5365　Fax.03-3234-5308
　　　　E-mail info@ikadasha.jp
　　　　ホームページ URL http://www.ikadasha.jp/
　　　　振替・00130-2-572993
印刷・製本　モリモト印刷株式会社

# もっと作りたい人へ！
# 戸田拓夫のおり紙ヒコーキの本

●小学校中～高学年向け

★正方形の紙で作るオール新作全17機

## びっくり超とび！
## 最新おり紙ヒコーキ

距離型、滞空型、鳥や宇宙戦闘機に似たかっこいいデザイン型など、形も飛び方もさまざま。市販の正方形おりがみで作れるのもうれしい。飛行映像が見られるQRコード付き。デザイン型紙のダウンロードもできます。 本体1,400円＋税

★世界記録機ゼロファイター収録

## キッズおり紙ヒコーキ
## 滞空型

### 長くよく飛ぶ20機

いつまでも長く飛ばそう。滞空タイプの改良型・新機種を多く集めました。

本体1,400円＋税

★日本記録機へそキング収録

## キッズおり紙ヒコーキ
## 距離型

### 遠くまで飛ぶ20機

まっすぐどこまでも飛ばそう。人気の高い距離型ヒコーキの改良型・新機種が続々登場。

本体1,400円＋税

★ロケットから飛ばすうちゅう扇収録

ボリュームアップ版 **おり紙ヒコーキ大集合BOOK**
超飛び26機＋うちゅう扇

おりやすくてよく飛ぶヒコーキからチャレンジ機まで。親子で楽しめるバラエティ豊かな紙ヒコーキ全27機を紹介。飛ばし方のコツや調整の仕方、紙の選び方など、知っていると見違えるほどよく飛ぶようになるアドバイス満載です。 本体1,400円＋税

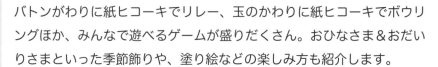